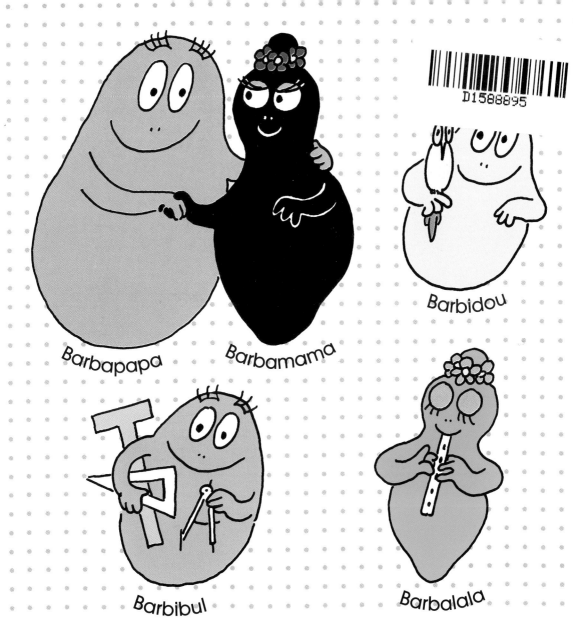

Barbapapa

Barbamama

Barbidou

Barbibul

Barbalala

Les Livres du Dragon d'Or
60 rue Mazarine, 75006 Paris.

Loi n° 49-956 du 16 juillet 1949 sur les publications destinées à la jeunesse,
modifiée par la loi n° 2011-525 du 17 mai 2011.
ISBN 978-2-82120-007-4 - Dépôt légal : janvier 2013.
Imprimé en Italie par ERCOM.

BARBAPAPA

Annette Tison & Talus Taylor

Les Fruits

6

C'est le moment de la cueillette
pour les Barbapapa.

Les Barbapapa adorent le jus de fruits.

Mais cette façon de faire
est trop longue !

Barbibul invente une machine pour presser
les fruits plus rapidement.

Mais il y a un inconvénient...
La machine donne mauvais goût au jus !

Barbotine a lu un livre qui explique comment on faisait, autrefois.

Les Barbabébés s'amusent beaucoup avec cette méthode, et en plus, elle marche bien !

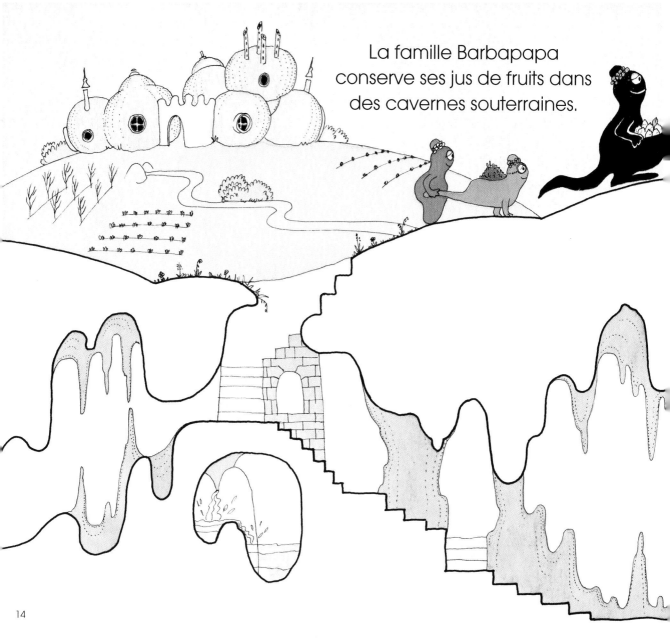

La famille Barbapapa conserve ses jus de fruits dans des cavernes souterraines.

Les Barbabébés jouent jusqu'à ce
que ce soit leur tour de travailler.

16

Ils laissent le jus en bouteille pendant un certain temps,
pour que son goût s'adoucisse.

Bien sûr, chacun
a son parfum préféré.

Maintenant, le jus est prêt à être bu. Quel délice !